SOL *y* LUNA - BIBLIOTECA DE SIGNOS

ESCORPIO

24 DE OCTUBRE - 22 DE NOVIEMBRE

J U L I A   Y   D E R E K   P A R K E R

Fotografía: Monique le Luhandre
Ilustraciones: Danuta Mayer

GRUPO EDITORIAL PLANETA
España, México, Colombia, Argentina

UN LIBRO DORLING KINDERSLEY

Dedicado a "Tony" Hermon

Editor **Tom Fraser**/Editor de arte **Ursula Dawson**/Productor editorial **Krystyna Mayer**/Productor de arte **Derek Coombes**/Producción **Anthony Heller**

Diagramación: Patrizio Semproni. Composición: Fabiana Riancho. Traducción al castellano: Patricia Fanjul. Fotografía: pág. 10 CM Dixon-Museo Británico; pág. 16 Tim Ridley. Estilista: págs. 28-29 Lucy Elworthy. Ilustraciones: págs. 60-61 Kuo Kang Chen. Ilustración de cubierta: Peter Lawman. Agradecemos a Carolyn Lancaster y John Filbey.

Publicado en Gran Bretaña en 1992 por Dorling Kindersley Limited, London WC2E 8PS

Título del original en inglés:
THE LITTLE SUN AND MOON SIGNS LIBRARY
Escorpio

Un catálogo de este libro es obtenible de la Biblioteca Británica
ISBN del original en inglés: 0-86318-851-6

Derechos exclusivos de edición en castellano reservados para
Argentina, Bolivia, Chile, Paraguay, Uruguay y Perú:
© 1994, Editorial Planeta Argentina S.A.I.C.
Independencia 1668, Buenos Aires
© 1994, Grupo Editorial Planeta
ISBN de la colección: 950-742-461-X
ISBN (Escorpio): 950-742-469-5

Reproducido por GRB Editrice, Verona, Italia
Impreso y encuadernado en Hong Kong por Imago

Segunda edición: diciembre de 1994

CONTENIDO

Presentación 8

ESCORPIO

ESCORPIO, EL OCTAVO SIGNO DEL ZODÍACO, ES DEL
ELEMENTO AGUA. DOTA A SUS NATIVOS DE
PERSONALIDADES PROFUNDAS E INTENSAS, Y GRANDES
RESERVAS DE ENERGÍA FÍSICA Y EMOCIONAL.

Las cualidades de Escorpio deben ser canalizadas positivamente para evitar que los celos y el resentimiento conduzcan a la insatisfacción interior, que puede arruinar el carácter de los escorpianos.

Escorpio tiene la fama de ser el más sexuado de los signos del Zodíaco. Como la mayoría de las creencias populares sobre astrología, esto es injustificado. Los escorpianos necesitan plenitud sexual, pero su energía sexual puede también expresarse de muchas maneras.

Plutón, el planeta regente del signo, determina un gran sentido del propósito. Para que los escorpianos se sientan bien, cada día debe tener su propio objetivo pleno y demandante.

Grupos tradicionales
En este libro se hace referencia a tres grupos: el grupo de elementos, el grupo de cualidades y el de signos positivos y negativos, o masculinos y femeninos. El grupo de los elementos comprende signos de fuego, tierra, aire y agua. El de las cualidades divide al Zodíaco en signos cardinales, fijos y mutables. El último grupo abarca signos positivos y negativos, o masculinos y femeninos. Cada signo del Zodíaco se asocia con una combinación de componentes de estos grupos, que le aportan diferentes características.

Características de Escorpio
Este signo es de cualidad fija, lo que indica testarudez. Es también un signo femenino, negativo, lo que significa introversión.

Hay una asociación tradicional entre Escorpio y los tonos fuertes y profundos del rojo y marrón.

ARIES PISCIS

TAURO ACUARIO

GÉMINIS CAPRICORNIO

CÁNCER SAGITARIO

LEO ESCORPIO

VIRGO LIBRA

El Círculo Zodiacal

La relación entre cada signo del zodíaco y los grupos astrológicos tradicionales se aclara a través del Círculo Zodiacal, al igual que las referencias que se hacen en el libro a signos polares u opuestos.

FUEGO

CARDINAL TIERRA

MASCULINO MUTABLE AIRE

FEMENINO FIJO AGUA

MITOS Y LEYENDAS

EL ZODÍACO, DEL CUAL SE DICE QUE TUVO ORIGEN EN
BABILONIA HACE 2500 AÑOS, ES UN CÍRCULO DE
CONSTELACIONES A TRAVÉS DEL CUAL EL SOL SE
DESPLAZA EN EL TRANSCURSO DE UN AÑO.

Muy a menudo, cuesta trabajo ver algún parecido definido entre la "forma" de algunas constelaciones y los signos zodiacales asociados con ellas. En el caso de Escorpio, por ejemplo, el oscuro lazo entre el símbolo zodiacal del escorpión y la figura de las estrellas que forman la constelación es bastante difícil de explicar.

Orión el cazador
Esta imagen, tallada en el anverso de un espejo etrusco, muestra a Orión asuzando el mar.

La evidencia sugiere que el símbolo de Escorpio no tenía inicialmente ninguna relación con constelación alguna. Un hombre-escorpión, aparentemente no basado en un grupo de estrellas, aparece en muchas tablillas de piedra babilónicas. La mayoría de estas figuras lo muestran con una cola de escorpión y sosteniendo un arco, como si fuera una combinación entre las figuras de Escorpio y Sagitario, el Arquero. Esta imagen aparece en Babilonia unos mil años antes de tomar su lugar en el Zodíaco egipcio, que fue creado en las antiguas ciudades de Donderah y Esna, con las imágenes que conocemos hoy.

Orión y Eos

Manilius, el escritor romano que en el primer siglo a.C., explicó algunos mitos astrológicos, sugería que el escorpión original estaba conectado con Orión. Este gigante griego tan alto se decía que podía caminar por mar abierto sin mojarse la cabeza, era cazador y el hombre más hermoso que existía. Orión era muy sensible al encanto femenino. Cuando Eos, la diosa del anochecer, inveterada coleccionista de jóvenes hermosos, lo invitó a su cama él aceptó alegremente. Pero Orión se ufanó de su conquista y también se jactó de ser tan gran cazador que podía exterminar a todas las bestias salvajes.

El dios Apolo, persuadió entonces a Gea, la diosa de la Tierra, de que enviara un escorpión gigante para morder a Orión y matarlo.

El error de Artemisa

Algunas versiones de este mito dicen que el escorpión tuvo éxito; otras, que Orión trató de escapar nadando por el mar, sólo para ser muerto accidentalmente por Artemisa, la diosa de la caza y hermana de Apolo. Artemisa, que se sentía muy atraída por Orión, encendió su flecha para matar al escorpión que lo perseguía. En un magnífico tiro, ella le acertó a la

La diosa Artemisa
Esta placa de oro del siglo VII a.C. muestra a Artemisa en su papel de diosa de los animales.

cabeza negra que vió emerger del agua. Tragicamente, su blanco resultó ser la cabeza de Orión, y el cazador resultó ser muerto.

De acuerdo a esta versión tardía, la dolorida Artemisa llevó a Orión a las estrellas, junto a su fiel perro Sirio, y allí es eternamente mordido por el escorpión gigante. La constelación de Orión aparece en el cielo justo donde termina la de Escorpio.

ESCORPIO
SIMBOLISMO

Ciertas hierbas, especias, flores, árboles, gemas, metales y animales, son asociados con signos del Zodíaco. Algunas de estas asociaciones pueden ser útiles, por ejemplo, en medicina.

CARDO SALVAJE

Flores

Las flores regidas por Aries, como el cardo espinoso, y la mayoría de las de color rojo oscuro, como los geranios, son regidos por Escorpio.

GERANIOS

Arboles

La enduina siempre ha sido asociada con Escorpio, pero también todos los arbustos, como el espino, y árboles que se usan para cercos, como las macrocarpa.

ESPINO

Especias

Ninguna está especialmente asociada con Escorpio, pero especias rojas o picantes como pimienta de cayena, paprika y chili son a veces asociadas con este signo.

PAPRIKA

Hierbas

Escorpio rige las mismas hierbas que Aries, como la menta. Está más asociado con hierbas que tienen flores rojo oscuro, como la escrofularia, que calma las picazones, y el geranio columbrino, que cura los cólicos y cálculos renales.

MENTA

CHILI

ESCORPIO
SIMBOLISMO

HIERRO

ESCORPIÓN

BROCHE
DE ACERO

BROCHE DE ACERO
DE DOS ALAS

ESCARABAJO
JAMESI

ESCARABAJO
AFRICANO

Metal
*El metal tradicional
de Escorpio es el
acero o el hierro.*

BRAZALETE DE
ACERO

JOYAS DE AMBAR

Animales

Los antiguos astrólogos decían que los animales de granja estaban regidos por Escorpio. La criatura del signo también es mencionada y los astrólogos nombran a los crustáceos y algunos insectos.

ESCARABAJO JOYA

ESCARABAJO DE AMAZONAS

ESCARABAJO AFRICANO

CASCARUDO JOYA

CASCARUDO SAGRA

ESCARABAJO DE AMÉRICA CENTRAL

ESCARABAJO JAMESI

Gemas

El ámbar y el misterioso ópalo son las gemas de Escorpio. Los ópalos de colores cambiantes están ligados a este signo.

15

ESCORPIO
PERFIL

LA INTENSA PERSONALIDAD DE ESCORPIO SUELE NOTARSE EN LA APARIENCIA INDIVIDUAL Y LA EXPRESIÓN. NADA ESCAPA A LA MIRADA AGUDA DE LOS ESCORPIANOS, QUE SON LOS DETECTIVES DEL ZODÍACO.

S u determinación suele ser evidente en la forma de pararse de los escorpianos, con la cabeza sobresaliendo, como espiando por un fascinante ojo de cerradura.

El cuerpo

Hay dos tipos de cuerpo escorpiano. Uno es pesado, con cierta impresión de hastío del mundo, como si el individuo hubiera andado mucho camino y disfrutado cada momento. El otro tipo es muy delgado y fornido, quizás como resultado de mucho ejercicio físico.

En general los escorpianos no superan la estatura promedio y

El rostro escorpiano
Uno de los rasgos típicos es una intensa y escrutadora mirada.

algunos son algo bajos. Las escorpianas pueden volverse algo rollizas, pero difícilmente pierdan su figura o se vuelvan menos activas. Tienden a balancear sus caderas cuando caminan.

El rostro

Un escorpiano típico tiene frente algo ancha, ojos profundos y escrutadores. A menudo se los compara con el águila, un ave asociado con este signo. El mentón suele ser bien formado, y la boca muy sensual y de labios gruesos. Las orejas típicas del signo son algo largas, la mandíbula fuerte

La apariencia escorpiana
*Su forma de pararse expresa
determinación y prefieren las
ropas vistosas de satén o seda.*

el cuello ancho. Muchos
scorpianos tienen el cabello
uerte pero algo tosco.

:stilo
:l cuero y el color negro son
opulares entre los
scorpianos, aún cuando no
stán de moda. Prefieren una
magen que realce lo sexy,
omo jeans ajustados, trusas de
uero o escotes atrevidos.
   La textura de la ropa es muy
nportante para ellos; les gusta
or ejemplo el brillo del satén,
e la seda pura y el terciopelo.
Jn material grueso, como la
ana, probablemente no les
traerá.
   En ocasiones formales, los
scorpianos pueden verse muy
legantes en ropas algo sobrias.
ratarán instintivamente de
xplotar al máximo su imagen
ersonal.

:n general
Iuchos tipos zodiacales
spiran, conscientemente o no,

a adoptar la imagen de su
signo. Esto puede ser
agradable, siempre que no sea
exagerado.
   Escorpio gusta del misterio, y
en casos extremos, las
escorpianas pueden ser
"mujeres fatales".
Si procuran no tomarse
demasiado en serio, todo irá
bien.

PERSONALIDAD

ESCORPIO OTORGA UNA PERSONALIDAD INTENSA Y EL POTENCIAL PARA SER UN TRIUNFADOR. SIN EMBARGO, SI ESTE POTENCIAL NO SE EXPRESA PLENAMENTE, PUEDE LLEVAR A UNA VISIÓN NEGATIVA DE LA VIDA.

Una convicción apasionada en todo lo que hacen permitirá a los escorpianos la expresión plena de su gran energía física y emocional.

En el trabajo
Puede decirse que los escorpianos sin objetivos claros en la vida, que no se comprometen en su trabajo o en otra actividad gratificante para ellos, pueden ser personas difíciles y poco razonables. En definitiva, un sufrimiento para quienes los rodean.

Plutón, el planeta regente de Escorpio, puede capacitar a sus nativos para sobreponerse a los obstáculos, pero también puede encauzarlos hacia tendencias hostiles como malicia, crueldad y una urgencia de ser demasiado críticos. Estos rasgos negativos, que a menudo son muy fuertes,

pueden hacer a los escorpianos ilógicamente celosos de los logros de otras personas, en especial de su pareja. Pueden llegar al punto de actuar en forma falsa y vengativa, planeando la caída de sus rivales y reaccionando con displicencia o ira cuando otros ofrecen ayuda o consejo.

Sus actitudes
Todo está bien, sin embargo, cuando los escorpianos saben exactamente qué quieren hacer en la vida y seguramente procurarán realizarlo. Una vez satisfecha, esta motivación poderosa los llevará a encontrar el vital sentimiento de calma interior sobre el cual se apoya gran parte de la vida.

Los escorpianos valoran mucho a sus amigos y probablemente tengan que

Plutón rige a Escorpio

Plutón, dios del mundo subterráneo, representa al planeta regente de Escorpio. Puede estimular a sus nativos a sobreponerse a los obstáculos, pero también puede hacerlos críticos, crueles y sigilosos.

sforzarse para que sus elaciones funcionen.

Visión global

Los escorpianos tienden a rrojarse en proyectos inancieros o intelectuales. Probablemente trabajarán muy uro en un proyecto durante un iempo, logrando muchas de las metas que se han propuesto. Luego, sin razón aparente, abandonarán ese asunto y comenzarán de nuevo desde el pie de otra colina.

Pese a todo lo dicho, los escorpianos disfrutan de la vida, plenamente y estimulando a sus amigos y seres queridos a hacerlo también.

ESCORPIO
ASPIRACIONES

LOS ESCORPIANOS SON FELICES TRABAJANDO DURO,
QUIZÁS ENVUELTOS EN LOS DETALLES, PERO NECESITAN
COMPROMETERSE REALMENTE CON SU TRABAJO. TIENEN
UN BUEN SENTIDO PARA LOS NEGOCIOS.

TAPONES DE BOTELLAS

Vinería
*El amor de Escorpio por
la comida y el vino puede
hallar satisfacción con
un trabajo en la
fabricación de vinos*

ESPOSAS Y BASTÓN DE POLICÍA

Policía
*Una carrera de detective
puede ser una excelente
elección. A los
escorpianos les
encantará investigar
crímenes.*

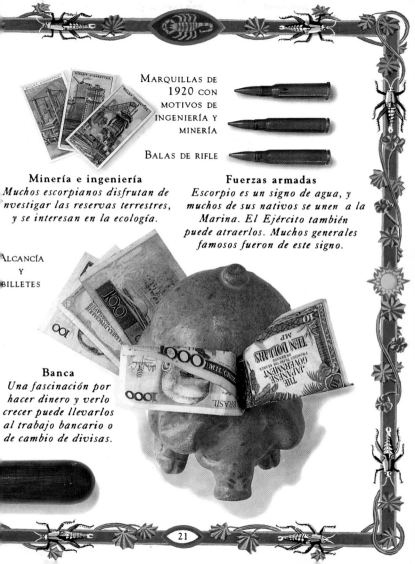

MARQUILLAS DE
1920 CON
MOTIVOS DE
INGENIERÍA Y
MINERÍA

BALAS DE RIFLE

Minería e ingeniería
Muchos escorpianos disfrutan de investigar las reservas terrestres, y se interesan en la ecología.

Fuerzas armadas
Escorpio es un signo de agua, y muchos de sus nativos se unen a la Marina. El Ejército también puede atraerlos. Muchos generales famosos fueron de este signo.

ALCANCÍA
Y
BILLETES

Banca
Una fascinación por hacer dinero y verlo crecer puede llevarlos al trabajo bancario o de cambio de divisas.

ESCORPIO
SALUD

EL ÁREA CORPORAL DE ESCORPIO SON LOS GENITALES, Y
ESTO ES LO QUE LE HA DADO LA INJUSTIFICADA FAMA DE
SER DEMASIADO SEXUADO. MUCHOS OTROS FACTORES
FORMAN EL CARÁCTER ESCORPIANO.

Escorpio puede considerarse, de muchas formas, el signo más poderoso del Zodíaco. Sus nativos suelen poseer tremendas reservas de energía física y emocional. Para sentirse bien, los escorpianos deben poder expresar positivamente estas energías.

Su dieta

Para muchos escorpianos, la comida es algo que debe ser disfrutado. Hacer dieta puede serles difícil.

La dieta escorpiana puede mejorarse completándola con la sal kali muriaticum.

Cuidados

Cuando pierden un objetivo real en la vida o sufren de falta de ejercicio físico, los escorpianos se volverán descontentos y depresivos. Meditar tristemente la situación sólo empeorará las cosas. Todos los escorpianos necesitan proyectos demandantes en su vida, de naturaleza tanto física como intelectual.

Requieren metas hacia las cuales dirigir su abundancia de energía y si todo está bien, las lograrán.

Tomates
Alimentos regidos por Aries, como el tomate, están asociados con Escorpio.

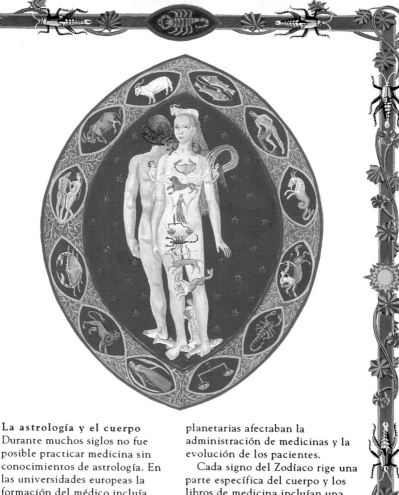

La astrología y el cuerpo

Durante muchos siglos no fue posible practicar medicina sin conocimientos de astrología. En las universidades europeas la formación del médico incluía aprender cómo las posiciones planetarias afectaban la administración de medicinas y la evolución de los pacientes.

Cada signo del Zodíaco rige una parte específica del cuerpo y los libros de medicina incluían una ilustración sobre ello.

ESCORPIO Y EL
TIEMPO LIBRE

CADA SIGNO SUGIERE TRADICIONALMENTE ACTIVIDADES
DE TIEMPO LIBRE. AUNQUE ESTOS HOBBIES Y LUGARES
DE VACACIONES SON SÓLO SUGERENCIAS, SUELEN
FUNCIONAR BIEN Y SON DIGNOS DE PROBARSE.

ESTAMPILLAS

Motorismo
*La velocidad y el gran
riesgo de las carreras
de motos y autos
pueden atraer mucho a
los escorpianos.*

Viajes
*Los escorpianos disfrutan
visitando lugares exóticos
como Marruecos o Siria.*

TARJETAS
DE 1930

ANZUELOS

LUPA DE 1920

Pesca
*Los nativos de Escorpio,
signo de agua, pueden
amar el sentarse a pescar
a la orilla de un río.*

Ficción detectivesca
*Con sus mentes inquisidoras,
los escorpianos disfrutarán de
una buena novela de
detectives.*

Navegación
El elemento agua de su signo puede inclinar a los escorpianos a los deportes acuáticos.

NUDO MARINERO

CAMPANILLA DE HOTEL

Vacaciones
Los escorpianos disfrutan del lujo de hoteles caros con excelentes servicios

La playa
Las vacaciones en la playa permiten practicar deportes como el buceo, que suele gustar a los escorpianos.

ROSA ROJA

CONCHAS MARINAS

Seducción
Los escorpianos toman su vida sexual y amorosa muy seriamente, pero sin duda la seducción puede volverse un hobby para algunos de ellos.

ESCORPIO Y EL
AMOR

LA APASIONADA EMOCIÓN DE ESCORPIO ALCANZA SU
MAYOR POTENCIA EN EL SEXO Y EL AMOR. LA PLENITUD
SEXUAL ES IMPORTANTE PARA ESTE SIGNO, PERO
ALGUNOS ASTRÓLOGOS TIENDEN A EXAGERAR ESTO.

L os escorpianos tienen una gran capacidad para el amor verdadero, y pueden contribuir mucho al éxito de una relación estable. El peor defecto de Escorpio son los celos, los que pueden realmente arruinar su felicidad. Deben ser conscientes de esta tendencia y tratar de controlarla.

Como amantes
Pese al tradicional énfasis en la sexualidad escorpiana, es incorrecto creer que los miembros de este signo están siempre al acecho, yendo de una conquista a la otra.

Mucho de la energía física y emocional de los escorpianos es orientado hacia la vida sexual. Sin embargo, unas vez hallada una pareja que les responda con igual nivel de necesidad, se sentirán satisfechos.

Tipos de amante escorpiano
Hay por lo menos cinco tipos diferentes. Uno de estos grupos tiene una visión algo patológica del amor,

sospechando, en casos extremos, "algo sucio" en el sexo. La gente de este grupo debe ser ayudada a relajarse, para que su inhibición no llegue a arruinar las cosas. Un segundo grupo es romántico, con un gusto por los lugares elegantes; disfrutan de un estilo pensado para hacer el amor y prefieren las relaciones permanentes, aunque pueden ser algo indecisos para comprometerse.

Otro grupo puede ser llamado el de los "escorpianos puros". Son capaces de una amor profundo y apasionado, pero deben cuidarse de los celos y las explosiones emocionales. Un cuarto grupo es activo y entusiasta en el sexo, pero puede tomar sus relaciones menos seriamente que otros escorpianos.

Finalmente, están aquellos que son algo más fríos que lo típico en su signo. Son normalmente muy confiables una vez que han decidido comprometerse.

ESCORPIO Y EL
HOGAR

El hogar escorpiano ideal estaría a la orilla de un idílico lago. Si esto no es posible, un jardín acuático o quizás una fuente puedan proveer un placer alternativo. Seguramente no les gustará vivir en la ciudad.

Mobiliario
Hay una cierta melosidad en el mobiliario que los escorpianos eligen y muy a menudo puede estar cubierto con cuero. El color negro es usual. El confort es importante y los sillones serán suaves y seductores. Los escorpianos gastarán mucho dinero en sus muebles y elegirán aquellos muy durables. Una clásica silla de Barcelona es habitual, ya que combina estilo, tradición y elegancia. Los escorpianos son muy conscientes de la imagen en su mobiliario y sus ropas.

Tapices y cortinas
El color de Escorpio es básicamente el rojo profundo, el color de Plutón, su regente. El aspecto general de su mobiliario puede ser algo oscuro. Sin embargo, será rico, no faltarán almohadones para realzar la comodidad, adornados con motivos exóticos.

Lagarto embalsamado
Un objeto similar puede realzar el aire de misterio que atrae a muchos escorpianos.

Los tonos oscuros del satén y su textura, suelen agradar a los escorpianos. Las cortinas estarán bien alineadas y contribuirán a la atmósfera seductora.

Objetos decorativos

Serán muy llamativos y de estilo definido. Las obras de pintura serán muy coloridas; Gauguin es elegido a menudo por los escorpianos debido a sus colores sensuales y su temática. Los más jóvenes pueden optar por posters de grupos de rock pesado.

Un bol con fruta lustrosa o algún vino espléndido pueden

Vinos y uvas
La riqueza de uvas rojas y el vino reflejan la imagen seductora de Escorpio.

también exhibirse, y armonizarán con el esquema general.

La iluminación suele ser algo tenue, acorde con la necesidad de privacidad que muchos escorpianos tienen.

Una lámpara puede realzar la presencia de un objeto favorito, como una antigüedad o una pintura.

Silla de Barcelona
Combinando estilo y elegancia con la textura del cuero, esta silla es una clara elección para el hogar escorpiano.

LA
LUNA
Y
USTED

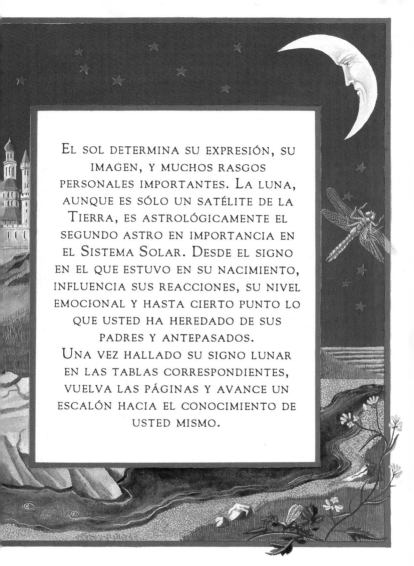

El sol determina su expresión, su imagen, y muchos rasgos personales importantes. La luna, aunque es sólo un satélite de la Tierra, es astrológicamente el segundo astro en importancia en el Sistema Solar. Desde el signo en el que estuvo en su nacimiento, influencia sus reacciones, su nivel emocional y hasta cierto punto lo que usted ha heredado de sus padres y antepasados.

Una vez hallado su signo lunar en las tablas correspondientes, vuelva las páginas y avance un escalón hacia el conocimiento de usted mismo.

LA LUNA EN
ARIES

LA FOGOSA EMOCIÓN DE SU LUNA ARIANA ESTÁ
SOSTENIDA POR LA INTENSA ENERGÍA DE
ESCORPIO. USTED NECESITA UNA VIDA PLENA FÍSICA Y
EMOCIONALMENTE, Y NUNCA SE PERMITIRÁ ESTANCARSE.

Escorpio y Aries son signos muy poderosos, y dan a sus nativos un alto nivel de energía física y emocional. Su intensidad escorpiana es realzada por su sentido ariano de lo inmediato y su instinto para ser el primero.

Carácter
Con esta combinación de Sol y Luna, usted no dejará que sus oponentes lo sobrepasen. Su forma de alcanzar satisfacción interior es llevar cada día con trabajo. Evite los trabajos y carreras en los que no tiene real interés y a los que sólo hará por dinero. Si su trabajo es aburrido, asegúrese de que sus horas libres sean excitantes y activas.

Romance
Usted es muy apasionado y lo expresará en sus relaciones. Será un poco menos intenso que otros escorpianos y se acercará al amor y al sexo con un entusiasmo sin complicaciones.

El peor defecto ariano es el egoísmo. Si alguien lo acusa de esto, escúchelo, pues quizás tenga razón.

Debido a una tendencia a precipitarse, quizás se sienta inclinado a profundizar una relación antes de tiempo. Deje entonces que la cualidad crítica de su Sol escorpiano se exprese.

Su bienestar
El área ariana del cuerpo es la cabeza, y usted puede sufrir jaquecas, quizá por preocuparse por la forma de actuar de otras personas. Estas jaquecas también pueden deberse a un

La Luna en Aries

desorden renal. Dado que Aries promueve la impaciencia, puede que usted sea algo propenso a los accidentes.

Proyectos

Su sentido escorpiano para los negocios es condimentado por su espíritu emprendedor ariano.

Si usted emprende un negocio, no sólo lo disfrutará, sino que lo hará rendir financieramente. Sin embargo, debe pensar bien las inversiones que hará, ya que puede ser demasiado entusiasta y meterse en proyectos endebles; su sagacidad escorpiana lo ayudará.

Paternidad

Usted será un padre activo, enérgico y expresará mucho de sus hijos. Los disciplinará bien, y le será fácil estar a tono con sus opiniones.

LA LUNA EN
TAURO

ESCORPIO Y TAURO SON SIGNOS POLARES, POR LO
TANTO USTED NACIÓ CON LUNA LLENA. EVITE LA
IMPACIENCIA DEJANDO QUE SU PRÁCTICO SIGNO LUNAR
ESTABILICE SUS EMOCIONES.

Todos expresamos, en alguna forma, rasgos de nuestro signo polar, el opuesto al nuestro en el Círculo Zodiacal. Para los escorpianos, este signo es Tauro, y como la Luna estaba en este signo cuando usted nació, la polaridad se ve enfatizada.

Carácter
La Luna está tradicionalmente, "bien ubicada" en Tauro. Esto significa que hará un efecto en usted mayor que lo usual.

Para desarrollar su potencial y vivir plenamente, usted necesita seguridad emocional y financiera. Cuando la tiene, usted florece, y es capaz de grandes logros.

Más que otros escorpianos, usted debe tener siempre un objetivo en vista y encauzarse constructivamente.

Romance
Tanto Escorpio como Tauro son de cualidad fija, y esto puede hacerlo algo testarudo. Tauro, como Escorpio, es un signo pasional e incrementará la intensidad que su signo solar le otorga.

Usted expresará sus sentimientos en forma cálida y afectiva y es capaz de ofrecer goce sexual. Sin embargo, el peor defecto taurino es la posesividad y si ésta es encendida por los celos escorpianos, habrá problemas.

Su necesidad de seguridad emocional puede llevarlo a crear una sensación de encierro a su pareja, que ésta quizás rechace.

Su bienestar
El área taurina del cuerpo comprende el cuello y la

La Luna en Tauro

garganta. Cuídese de los resfríos. Tauro gusta de la buena comida y también Escorpio, lo que puede significar aumento de peso. El ejercicio lo ayudará.

Proyectos

Usted será inteligente con el dinero. Su saldo bancario, aunque sea pequeño, crecerá. Sin embargo, a usted le gusta el lujo y gastará su dinero libremente. De todos modos,

quizás no le haga falta consultar consejeros en finanzas cuando va a invertir.

Paternidad

Usted es convencional y puede ser conservador en sus puntos de vista. Sus hijos pueden acusarlo por ser anticuado. Usted trabajará duro por ellos, pero quizás sea más estricto de lo que cree. Manténgase al tanto de las opiniones de sus hijos.

LA LUNA EN
GÉMINIS

USTED ES MÁS LÓGICO Y MENOS INTUITIVO QUE MUCHOS
ESCORPIANOS. PUEDE TENDER A RACIONALIZAR SUS
EMOCIONES O PROBLEMAS PSICOLÓGICOS MUY
ARRAIGADOS.

La combinación de dos signos muy diferentes genera una influencia dinámica en su carácter. Géminis es un signo de aire y está orientado intelectualmente, por lo que agregará claridad mental a su signo solar escorpiano, que es intenso y necesita llegar a la raíz de los problemas.

Carácter
Cuando sea desafiado, usted responderá con cuestionamientos agudos y vivaces. Será muy escéptico hacia cualquier teoría que se le presente.

Puede que lo atraigan los medios de comunicación, y cualquier clase de investigación puede darle trabajo. Su habilidad de comunicador puede ser una ventaja también en el aspecto personal.

Cuando usted esté conmovido, probablemente trate de racionalizar sus emociones. Lleve adelante su autoanálisis, pero trate de no desechar el placer. Como muchos escorpianos, usted puede tender a ocultar sus problemas, pero la naturaleza comunicativa de su Luna geminiana lo ayudará a expresarlos.

Romance
Además de la pasión y la plenitud sexual escorpianas, usted disfrutará del intercambio intelectual y el compañerismo con su pareja.

Su bienestar
Los escorpianos tienden a ser acaparadores, y se sienten

La Luna en Géminis

atraídos por todas las cosas. Si usted fuma, esto no es bueno, ya que el órgano geminiano son los pulmones.

Usted tiene un nivel de energía nerviosa bastante alto, así como su energía física scorpiana. Quizás haga deportes o algún ejercicio exigente.

Proyectos
Puede que usted sea menos cuidadoso con el dinero que otros escorpianos. Es hábil para las ventas y puede organizar negocios redituables. Sin embargo, si se ve atraído por proyectos de "dinero rápido", estúdielos cuidadosamente.

Paternidad
Probablemente a usted le sea fácil estar a tono con sus hijos y disfrute conversando sobre sus opiniones. A veces hasta puede sorprenderlos con sus conocimientos.

LA LUNA EN
CÁNCER

SU LUNA CANCERIANA INCREMENTA SU SENSITIVA
COMPRENSIÓN DE LAS NECESIDADES DE LOS DEMÁS.
USTED TIENE INSTINTO PROTECTOR Y UNA GRAN
ENERGÍA EMOCIONAL. CUÍDESE DE LA ANSIEDAD.

Como Escorpio y Cáncer son signos de agua, su nivel emocional es muy alto. asegúrese de tener una vía positiva para expresarlo. Usted es un generador de sentimientos fuertes y deberá comprometerse intensamente con su trabajo.

Carácter
Su Luna canceriana lo hace muy intuitivo y le da una imaginación activa que debe expresarse creativamente. Si esto no sucede, usted se preocupará sin razón y se la pasará esperando que sucedan cosas terribles.

Además, quizás por su sensibilidad a los estados de ánimo y las reacciones de otras personas, usted puede caer en pozos de melancolía. Trate de ser más optimista y de

mantener una visión positiva de la vida.

Romance
Usted es un amante muy sensual y altamente sexuado. Necesita una pareja activa y comprensiva. Cuídese, sin embargo, de una tendencia a hacer de "madre" de sus parejas. Esto puede crear una sensación de asfixia que muchas personas pueden rechazar.

Su bienestar
El área canceriana del cuerpo comprende el pecho y los senos. Aunque no hay ninguna conexión entre el signo y la enfermedad del mismo nombre, las mujeres con influencia de Cáncer, como todas las mujeres, deben hacerse exámen regulares. En cierta forma, el

La Luna en Cáncer

sistema digestivo también está regido por Cáncer y cuando usted está preocupado su estómago puede sufrir. Debe hacer ejercicio para evitar la flojedad corporal.

Proyectos

Puede que usted sea un "mago" para las finanzas. Posee la agudeza canceriana y el sentido para los negocios que le otorga su Sol escorpiano. Podrá hacer mucho dinero si no cae en la tendencia escorpiana de abandonar un proyecto repentinamente para comenzar otro.

Paternidad

Usted disfrutará de la vida familiar. Puede que sea algo estricto con sus hijos, lo que es bueno, siempre que los deje expresarse con libertad.

Evite ser sentimental y estar siempre recordando su propia infancia, y comprométase con los intereses de sus hijos.

LA LUNA EN
LEO

SU INTENSIDAD Y ENERGÍA ESCORPIANAS ESTÁN
SAZONADAS POR UN GRAN INSTINTO CREATIVO.
CUÍDESE, SIN EMBARGO, DE UNA TENDENCIA A LA
TESTARUDEZ.

Su personalidad escorpiana está exagerada por la fogosa emoción de su Luna de Leo. Usted tiene fuerza interior y determinación y gran capacidad organizativa. Sin embargo, debe cuidar de no volverse autocrático y dominante.

Carácter

Su poderosa motivación escorpiana está realzada por un instinto para hacer siempre lo mejor, en su trabajo o en cualquier ocupación.
Usted es muy trabajador y llenará cada día con actividades útiles.

Tanto Escorpio como Leo están cargados de emoción y la de Leo es cálida y entusiasta. Le dará una visión positiva y optimista de la vida.

Romance

Su forma de hacer el amor tiene estilo y elegancia y hará que sus parejas disfruten tanto de la vida como usted, en la cama y fuera de ella.

Tanto Escorpio como Leo son de cualidad fija, lo que hace que usted pueda ser testarudo a veces. Reconsidere cada tanto sus opiniones y admita sus errores.

El peor defecto de Leo es el autoritarismo; cuide de que esto no arruine sus relaciones.

Su bienestar

El área corporal de Leo es la espina dorsal y la espalda, por lo tanto usted necesita ejercicio para mantenerlas en buen estado. Una silla reclinable es aconsejable si trabaja sentado.

El órgano de Leo es el

La Luna en Leo

corazón, y necesita ejercicio regular. Si esto lo aburre, tome clases de danza, donde sus cualidades creativas pueden expresarse.

Escorpio y Leo pueden encauzarlo a una dieta algo abundante. Tenga cuidado, o aumentará de peso.

Proyectos

Es probable que sus gustos sean caros. Su instinto financiero y su potencial para el éxito lo hacen capaz de ganar dinero.

Resista, sin embargo, la tendencia a poner todo su capital en un solo proyecto.

Paternidad

Usted disfrutará de sus hijos, pero a veces puede parecerles algo pomposo y quizás convencional. Trate de ver la vida a través de los ojos de ellos. Si utiliza el entusiasmo de su signo lunar y es más estimulante que crítico, ganará el amor y el respeto de sus hijos.

LA LUNA EN
VIRGO

SU LUNA VIRGINIANA LO HARÁ BUSCAR LA RAÍZ
DE CADA PROBLEMA.
CUIDE DE NO VOLVERSE OBSESIVO Y DEMASIADO
PENDIENTE DE LOS DETALLES.

Su signo solar de agua y su signo lunar de tierra combinan muy bien y comparten algunos rasgos complementarios. Escorpio gusta del misterio y de llegar al fondo de los problemas; su Luna virginiana lo encauza a analizarlos.

Carácter

Usted está entre los detectives naturales del Zodíaco. Trate, sin embargo, de que al examinar las minucias de un problema no se le pierda su visión general.

Usted tiene un gran sentido común y un enfoque muy práctico de la vida. Sin embargo, deberá controlar una tendencia a angustiarse.

Romance

La influencia de Virgo difícilmente le otorgue una gran carga emocional. Algo de su pasión escorpiana será moderada por su signo lunar.

Usted se empeñará mucho para que sus relaciones funcionen, quizás superando gradualmente cierta timidez virginiana hacia el sexo. Cuando su Sol escorpiano prevalezca, disfrutará de una rica vida sexual.

Su bienestar

El órgano virginiano es el estómago y el suyo puede sufrir cuando usted está preocupado. Necesita una dieta rica en fibras.

Virgo otorga una gran cantidad de energía nerviosa, que puede derivar en jaquecas. Trate de relajarse.
El ejercicio al aire libre lo puede ayudar y también

La Luna en Virgo

conversar sus cosas con
un amigo.

Proyectos
Usted puede ser menos
derrochador que otros
escorpianos y quizás llegue a
sentirse algo culpable cuando
gasta mucho. Trate de
disfrutar libremente su dinero,
y si se siente aprensivo cuando
va a invertirlo, tome consejo
financiero profesional.

Paternidad
Trate de no ser demasiado
crítico de los esfuerzos de sus
hijos, ellos no se lo merecen.
Puede desmoralizarlos sin darse
cuenta.

Los escorpianos suelen ser
algo estrictos, pero también
saben ser divertidos y jugar con
ellos. Si usted escucha las
opiniones de sus hijos, no
tendrá problemas con la
distancia generacional.

LA LUNA EN
LIBRA

USTED PUEDE PARECER ALGO OCIOSO, PORQUE SU LUNA
LO ENCAUZA A RELAJARSE Y A ESTUDIAR BIEN CADA
PROBLEMA. USTED ES MÁS CONSIDERADO CON LOS
DEMÁS QUE OTROS ESCORPIANOS.

El encanto de su Luna libriana suaviza la poderosa intensidad de su personalidad escorpiana, y usted siempre responderá cálidamente a los demás.

Carácter
Puede que usted sea más lento para tomar decisiones que otros escorpianos, dado que su reacción inmediata es vacilar, un rasgo de su Luna libriana, y querrá pensarlo dos veces antes de comprometerse.

Usted es táctico y diplomático, en especial esto se manifestará en las situaciones difíciles, y puede dar la respuesta correcta en el momento justo.

La influencia de su Luna de Libra lo estimulará a tener siempre tiempo para interesarse en los problemas de los demás.

Romance
Usted está entre los escorpianos más románticos, y disfrutará el relax tanto como la pasión en sus relaciones. Será considerado con sus parejas y entenderá sus necesidades.

Un serio defecto de Libra es el resentimiento, y usted debe cuidarse de una tendencia a mantener en su mente las desaveniencias del pasado.

Su bienestar
El área libriana del cuerpo es la región lumbar de la espalda. Si usted sufre dolor de espalda, consiga un asiento reclinable. El órgano libriano son los riñones, y un desorden renal puede traerle dolor de cabeza.

Aunque usted es un escorpiano muy activo, su signo lunar puede darle un

La Luna en Libra

metabolismo algo lento que junto al gusto libriano por la buena comida, puede llevarlo a aumentar de peso. Una buena dieta, con abundancia de frutas y vegetales y el ejercicio puede ayudarlo.

Proyectos

Usted es derrochón, y su atracción por las cosas caras y finas pueden hacer sufrir a su economía. Quizás deba tomar consejo profesional cuando invierta dinero.

Paternidad

Usted alternará entre ser un padre estricto y ser demasiado blando. Asegúrese de que sus hijos se sientan seguros respecto de usted, y creará un buen intercambio afectivo. Manténgase al tanto de las ideas de sus hijos e infórmese de sus problemas.

LA LUNA EN
ESCORPIO

CON EL SOL Y LA LUNA EN ESCORPIO AL NACER,
USTED NACIÓ CON LUNA NUEVA.
EL ELEMENTO AGUA DE ESCORPIO ES MUY
IMPORTANTE PARA USTED.

S i observa las características de Escorpio, probablemente verá que muchas de ellas se aplican a usted. En promedio, de unos veinte rasgos personales de cualquier signo solar, la mayoría de sus nativos se identifica con once o doce. Dado que la Luna también estaba en Escorpio cuando usted nació, para usted ese promedio se incrementará mucho.

Carácter

Usted responderá a las situaciones en forma incisiva, buscando la raíz del problema y resolviéndolo en detalle.

Es esencial para todos los escorpianos estar con su trabajo emocionalmente comprometidos, y más aún lo es para usted.

Romance

Usted es altamente sexuado y es muy apasionado. Es importante que encuentre una pareja con la cual este intercambio sea satisfactorio.

Usted contribuirá mucho al éxito de sus relaciones, pero debe cuidar de no ser demasiado demandante con su pareja.

Recuerde que puede ser muy celoso y que esto suele causar problemas en sus relaciones, quizás sin fundamento.

Su bienestar

Usted puede ser muy vulnerable a los problemas de salud escorpianos (ver páginas sobre salud). Trate de equilibrar su consumo de comida y lograr moderación en su consumo.

Probablemente disfrute de lo

La Luna en Escorpio

deportes invernales, y quizás de los deportes "fuertes" en equipo. Será capaz de una gran dedicación a cualquier deporte que elija.

Proyectos

Usted tiene un considerable talento financiero. Puede hacer carrera en las finanzas o en el trabajo bancario. Regule siempre sus inversiones y no invierta mucho dinero a la vez.

Paternidad

A usted le encantará que sus hijos hagan buenos progresos, y quizás los "empuje" un poco duramente y sea demasiado estricto con ellos. Esfuércese en ser comprensivo con las ideas y problemas de sus hijos.

LA LUNA EN
SAGITARIO

SU LUNA SAGITARIANA MODERA LO INTENSO DE SU
PERSONALIDAD. USTED PUEDE CAPTAR UNA SITUACIÓN
MÁS FÁCILMENTE QUE OTROS ESCORPIANOS, Y NO ES
TAN OBSESIVO CON LOS DETALLES.

L as cualidades atribuidas a Escorpio y Sagitario son muy diferentes y darán facetas contrastantes a su personalidad. Usted posee un natural optimismo que sale a la luz en cuanto emprende un proyecto o cuando es desafiado.

Carácter
Muchos escorpianos pueden ser descriptos como "profundos". Tal descripción se aplica menos a usted y no le es difícil ser abierto y franco.

Su capacidad para disfrutar de la vida, en especial cuando se enfrenta a desafíos, es maravillosa. Usted odiará perder el tiempo.

Romance
Así como poseen una ardiente pasión escorpiana, usted se expresa en el sexo y el amor con una fogosa actividad. Probablemente tenga muchas relaciones en el curso de su vida y aun comprometido con una pareja, necesitará cierta libertad.

Cuide que los celos escorpianos no compliquen su vida. Pese a su instinto de independencia, usted no será feliz si su pareja se muestra algo coqueta. Recuerde que usted es capaz de un comportamiento similar y ceda un poco.

Su bienestar
A los escorpianos les suele gustar la buena comida. Los sagitarianos no son adversos a ella, y también aman los buenos vinos y la cerveza. El órgano sagitariano es el hígado y el exceso de alcohol y

La Luna en Sagitario

omida puede llevarlo a
ndigestiones.

El área sagitariana del
uerpo comprende los muslos y
aderas y las mujeres con
nfasis en este signo pueden
ngordar en este área. La
noderación no es algo natural
n Escorpio ni en Sagitario;
mbos la encuentran muy
burrida. La autodisciplina es
ntonces importante. Por otra
arte, a los sagitarianos suele
ustarles el ejercicio enérgico,
sí que no será difícil para
sted practicarlo.

Proyectos

Aunque tenga la habilidad
escorpiana para hacer dinero,
usted disfrutará especulando y
pueden atraerlo proyectos
financieros riesgosos. Cuídese;
usted puede ser buen inversor
siempre que no corra riesgos
indebidos.

Paternidad

Usted está entre los padres
escorpianos más activos y
positivos. Sabe divertirse con
sus hijos y los estimulará en sus
esfuerzos.

LA LUNA EN
CAPRICORNIO

SUS OBJETIVOS SON IMPORTANTES PARA USTED, Y
APROVECHARÁ CUALQUIER OPORTUNIDAD PARA
ALCANZAR SUS METAS. NO PIERDA DE VISTA EL LADO
PLACENTERO DE LA VIDA.

El elemento agua de su Sol escorpiano y el elemento tierra de su Luna capricorniana se llevan bien y le dan el potencial para alcanzar el éxito.

Carácter

Usted toma la vida muy seriamente, pero tiene un sentido del humor inusual e incisivo que emergerá inesperadamente.

Sus ambiciones son muy importantes para usted, pero debe aprender a disfrutar de la vida, ya que puede volverse un "trabajomaníaco".

Romance

Sus poderosas emociones escorpianas son calmadas por su Luna capricorniana. Sus reacciones son lógicas y prácticas y quizás sea menos

sacudido por las emociones que otros escorpianos. A veces, incluso, puede parecer algo frío. Sin embargo, usted será muy confiable una vez comprometido.

Su bienestar

El área capricorniana del cuerpo comprende las rodillas y codos y los suyos son más vulnerables, por lo tanto, que los de otras personas. Es esencial que usted se mantenga en movimiento, ya que un énfasis en Capricornio puede hacerlo propenso al reumatismo.

No es probable que usted tenga problemas con el peso, dado que la Luna capricorniana suele dar figuras delgadas y quizás sea menos amigo de la comida pesada que otros escorpianos.

La Luna en Capricornio

Los dientes también están
~~re~~gidos por Capricornio;
~~re~~alice un chequeo dental
~~re~~gular.

~~P~~royectos
~~U~~sted tiene el potencial para
~~se~~r un "mago" de las finanzas.
~~Si~~ trabaja por su cuenta, será
~~ca~~paz de construir un buen
~~ne~~gocio, siempre que mida su
~~de~~sarrollo. Lo mismo se aplica
~~si~~ tiene dinero para invertir.

Paternidad
Quizás usted necesite
reconsiderar su actitud hacia
sus hijos, dado que tal vez sea
mucho más estricto de lo que
cree. Los niños progresan
cuando tienen una estructura
segura en sus vidas, pero trate
de evitar los retos dañinos.
Asegúrese también de tener
tiempo para disfrutar de la
compañía de ellos y no sólo
para trabajar duro.

LA LUNA EN
ACUARIO

LA TESTARUDEZ PUEDE TRAERLE PROBLEMAS, PERO
USTED ES CAPAZ DE DESPEGARSE RACIONALMENTE DE LAS
DIFICULTADES Y SER OBJETIVO. MIRE HACIA ADELANTE Y
MANTENGA SU MENTE ABIERTA.

Sus reacciones son usualmente lógicas, y usted puede despegarse de sus emociones y ver las dificultades desde varios ángulos, para alcanzar conclusiones prácticas.

Carácter
Usted tiene una agudeza natural y sus amigos se divertirán con su originalidad. Como Escorpio y Acuario son de cualidad fija, usted puede ser muy testarudo a veces. Cuídese de esto, pues de otro modo se hará fama de tener mal genio.

Romance
Quizás no le sea fácil consolidar una pareja. Aunque usted es un escorpiano apasionado, al iniciar una relación puede tender a mantenerse distante.

Usted necesita satisfacción sexual tanto o más que cualquiera, pero su independencia será importante para usted y deberá buscar parejas que no se resientan por esto. Puede que demore en comprometerse, lo cual no es malo; tómese su tiempo si no se siente seguro.

Su bienestar
El área acuariana del cuerpo son los tobillos, de modo que deberá cuidarse si usa tacos altos. La circulación también es regida por Acuario. Cualquier ejercicio o deporte lo ayudará. Escorpio suele disfrutar la natación y cualquier deporte acuático o invernal.

Proyectos
Aunque los escorpianos suelen

La Luna en Acuario

ser inteligentes con el dinero, puede que, a veces, su originalidad lo haga comprometerse en algún proyecto excitante, pero no muy práctico, que aparezca en su imaginación. Procure ser convencional cuando se trata de finanzas, consulte a un experto si es necesario, y exprese su originalidad en otras áreas.

Paternidad

Aunque usted inicialmente responderá bien a las ideas más extremas de sus hijos, puede luego echarse atrás. Quizás su testarudez eche todo a perder. Trate de evitarlo, y esfuércese en ver la vida a través de los ojos de ellos. Así la brecha generacional no será problema entre ustedes.

LA LUNA EN
PISCIS

Su poderosa intensidad escorpiana es suavizada por la tierna emoción de su Luna de Piscis. Usted es más sensible que muchos escorpianos, aunque igualmente decidido.

Tanto Escorpio como Piscis pertenecen al elemento agua y como resultado hay una simpatía natural entre ambos.

Carácter
Usted tiene instintos e intuiciones muy poderosas, y debe seguirlos, así como a su activa imaginación. Sin embargo, si esta actúa negativamente, le hará pensar que todo anda mal aunque no sea así. Trate de evitar esto encontrando formas gratificantes de expresar su imaginación.

Puede que usted tenga habilidades psíquicas. Si tiene premoniciones, o si parecen sucederle cosas extrañas de tanto en tanto, no se preocupe.

Si quiere desarrollar estos poderes psíquicos, acérquese a una institución especializada.

Usted tiene un gran nivel emocional y a veces puede ser sobrepasado por sus emociones. Esto puede no ser negativo, siempre que escuche a su intuición, que lo guiará por el camino correcto.

Romance
Usted encontrará mucho placer en su vida sexual y amorosa, y puede dar mucho a sus parejas. Sin embargo, usted suele ser herido fácilmente, quizás a causa de no enfrentarse a la realidad.

Su bienestar
El área pisciana del cuerpo comprende los pies. Los suyos son delicados y quizás ningún calzado le sea cómodo.

Mucha gente con un énfasis de Piscis tiende a engordar y a los escorpianos les gusta la

La Luna en Piscis

buena comida. Trate de disciplinar su dieta.

Proyectos

Aunque su Sol escorpiano le da un buen sentido para las finanzas, su Luna de Piscis lo disminuirá en algo. Usted es tan sensible al sufrimiento y se identifica tanto con él, que puede ser demasiado generoso. Sea cuidadoso, pues puede perder mucho dinero.

Quizás deba tomar consejo financiero cuando va a invertir. Si desea emprender un negocio, es aconsejable que trabaje con un socio.

Paternidad

Es probable que usted tenga un gran entendimiento de la naturaleza humana y esto puede ser de gran ayuda en su relación con sus hijos. Usted a veces será muy estricto con ellos y otras tenderá a malcriarlos. Si mantiene estos extremos en equilibrio, será un espléndido padre.

CARTAS LUNARES

LAS SIGUIENTES CARTAS LE PERMITIRÁN DESCUBRIR SU
SIGNO LUNAR. EN LAS PÁGINAS PRECEDENTES PODRÁ
INVESTIGAR SUS CUALIDADES.

Para encontrar su carta lunar, observe el año de su nacimiento y el símbolo zodiacal para su mes natal, en las tablas siguientes. Vaya luego a la tabla lunar (*abajo a la izquierda*) y observe que los días del mes están enfrentados cada uno a un número. El que corresponde al día del mes en que usted nació, indica cuántos símbolos zodiacales (*abajo a la derecha*) deben ser contados para obtener su signo lunar. Tiene que contar hacia Piscis y volver a Aries. Por ejemplo: dada la fecha de nacimiento 21 de mayo de 1991, usted necesita encontrar inicialmente el signo lunar para el primer día de mayo de ese año. Es Sagitario (♐). Como la fecha de nacimiento es el 21, nueve signos deben ser agregados. El signo lunar para esta fecha de nacimiento es, por lo tanto, Virgo (♍).

TABLA LUNAR

DÍAS DEL MES Y NÚMERO DE SIGNOS QUE DEBE AGREGAR

DIA	AGR	DIA	AGR	DIA	AGR	DIA	AGR
1	0	9	4	17	7	25	11
2	1	10	4	18	8	26	11
3	1	11	5	19	8	27	12
4	1	12	5	20	9	28	12
5	2	13	5	21	9	29	1
6	2	14	6	22	10	30	1
7	3	15	6	23	10	31	2
8	3	16	7	24	10		

SÍMBOLOS

♈	Aries
♉	Tauro
♊	Géminis
♋	Cáncer
♌	Leo
♍	Virgo
♎	Libra
♏	Escorpio
♐	Sagitario
♑	Capricornio
♒	Acuario
♓	Piscis

	1923	1924	1925	1926	1927	1928	1929	1930	1931	1932	1933	1934	1935
ENE	♊	♏	♈	♌	♐	♈	♍	♑	♉	♎	♓	♋	♏
FEB	♌	♐	♉	♍	♑	♊	♏	♓	♋	♐	♈	♌	♑
MAR	♌	♑	♉	♍	♒	♋	♏	♓	♋	♐	♉	♍	♑
ABR	♎	♓	♋	♏	♈	♍	♈	♉	♍	♒	♊	♎	♓
MAY	♏	♈	♈	♐	♉	♎	♒	♊	♎	♓	♋	♐	♈
JUN	♑	♉	♍	♒	♋	♏	♓	♌	♐	♉	♍	♑	♊
JUL	♒	♋	♏	♓	♌	♐	♈	♍	♑	♊	♎	♓	♋
AGO	♈	♌	♐	♉	♍	♒	♊	♏	♓	♋	♐	♈	♌
SET	♉	♎	♒	♋	♏	♓	♌	♐	♈	♍	♑	♊	♎
OCT	♊	♏	♓	♌	♐	♉	♍	♑	♉	♎	♓	♋	♏
NOV	♌	♑	♉	♍	♑	♊	♏	♓	♋	♐	♈	♌	♑
DIC	♍	♒	♊	♎	♓	♌	♐	♈	♌	♑	♉	♍	♒

	1936	1937	1938	1939	1940	1941	1942	1943	1944	1945	1946	1947	1948
ENE	♈	♌	♑	♉	♍	♒	♊	♎	♓	♌	♐	♈	♍
FEB	♉	♎	♒	♊	♏	♈	♌	♐	♉	♍	♑	♊	♎
MAR	♊	♎	♒	♋	♐	♈	♌	♐	♉	♎	♒	♊	♏
ABR	♌	♐	♈	♌	♑	♉	♎	♒	♋	♏	♓	♌	♑
MAY	♍	♑	♉	♎	♒	♊	♏	♓	♌	♐	♉	♍	♒
JUN	♎	♒	♋	♏	♈	♌	♑	♉	♎	♒	♊	♏	♓
JUL	♏	♈	♌	♑	♉	♍	♒	♊	♏	♓	♌	♐	♈
AGO	♑	♉	♎	♒	♋	♏	♈	♌	♐	♉	♍	♑	♊
SET	♓	♋	♏	♈	♌	♑	♉	♍	♒	♋	♏	♓	♌
OCT	♈	♌	♑	♉	♎	♒	♊	♎	♓	♌	♐	♈	♍
NOV	♊	♎	♒	♊	♏	♈	♌	♐	♉	♍	♑	♊	♏
DIC	♋	♏	♓	♌	♑	♉	♍	♑	♊	♎	♒	♋	♐

	1949	1950	1951	1952	1953	1954	1955	1956	1957	1958	1959	1960	1961
Ene	♑	♊	♎	♓	♋	♏	♈	♌	♑	♉	♍	♒	♋
Feb	♓	♋	♐	♈	♍	♑	♉	♎	♒	♊	♏	♈	♌
Mar	♓	♋	♐	♉	♍	♑	♊	♏	♓	♋	♏	♈	♌
Abr	♉	♍	♒	♊	♎	♓	♋	♐	♈	♌	♑	♊	♎
May	♊	♎	♓	♋	♐	♈	♍	♑	♉	♎	♒	♋	♏
Jun	♌	♐	♈	♍	♑	♊	♎	♓	♋	♐	♈	♌	♑
Jul	♍	♑	♊	♎	♓	♋	♏	♈	♌	♑	♉	♍	♒
Ago	♏	♓	♋	♐	♈	♍	♑	♉	♎	♒	♊	♏	♈
Set	♐	♈	♍	♑	♊	♎	♒	♋	♐	♈	♌	♑	♊
Oct	♑	♊	♎	♓	♋	♏	♓	♌	♑	♉	♍	♒	♋
Nov	♓	♋	♏	♈	♍	♑	♉	♎	♒	♊	♏	♈	♌
Dic	♈	♌	♑	♊	♎	♒	♊	♏	♓	♌	♐	♉	♍

	1962	1963	1964	1965	1966	1967	1968	1969	1970	1971	1972	1973	1974
Ene	♏	♓	♌	♐	♈	♍	♑	♊	♎	♒	♉	♑	♈
Feb	♐	♉	♍	♒	♊	♏	♓	♋	♏	♈	♍	♑	♉
Mar	♐	♉	♎	♒	♊	♏	♈	♌	♐	♉	♍	♑	♊
Abr	♒	♋	♏	♈	♌	♑	♉	♍	♒	♊	♏	♓	♋
May	♓	♌	♐	♉	♍	♒	♊	♎	♓	♋	♐	♈	♍
Jun	♉	♎	♒	♊	♏	♓	♌	♐	♉	♍	♑	♊	♎
Jul	♊	♏	♓	♌	♐	♈	♍	♑	♊	♎	♓	♋	♐
Ago	♌	♐	♉	♎	♒	♍	♏	♓	♋	♏	♈	♍	♑
Set	♍	♒	♋	♏	♓	♋	♐	♉	♍	♑	♊	♎	♓
Oct	♏	♓	♌	♐	♈	♍	♒	♊	♎	♒	♋	♐	♈
Nov	♐	♉	♎	♒	♊	♎	♓	♋	♐	♈	♍	♑	♉
Dic	♑	♊	♏	♓	♋	♐	♈	♌	♑	♉	♎	♒	♊

	1975	1976	1977	1978	1979	1980	1981	1982	1983	1984	1985	1986	1987
Ene	♌	♑	♉	♍	♒	♊	♏	♓	♌	♐	♉	♍	♑
Feb	♎	♒	♋	♏	♈	♌	♐	♉	♍	♒	♊	♎	♓
Mar	♎	♓	♋	♏	♈	♍	♑	♉	♎	♒	♊	♏	♓
Abr	♐	♈	♍	♑	♊	♎	♒	♋	♏	♈	♌	♑	♉
May	♑	♉	♎	♒	♋	♏	♓	♌	♐	♉	♍	♒	♊
Jun	♓	♋	♐	♈	♌	♑	♉	♎	♒	♊	♏	♓	♌
Jul	♈	♌	♑	♉	♍	♒	♋	♏	♓	♌	♐	♉	♍
Ago	♉	♎	♓	♋	♏	♈	♌	♐	♈	♎	♒	♊	♎
Set	♋	♐	♈	♌	♐	♊	♎	♒	♊	♏	♓	♌	♐
Oct	♌	♑	♉	♍	♒	♋	♏	♓	♋	♐	♉	♍	♑
Nov	♎	♓	♋	♏	♓	♌	♐	♉	♍	♒	♊	♎	♓
Dic	♏	♈	♌	♐	♉	♍	♑	♊	♎	♓	♋	♐	♈

	1988	1989	1990	1991	1992	1993	1994	1995	1996	1997	1998	1999	2000
Ene	♊	♎	♒	♋	♏	♈	♌	♑	♉	♎	♒	♊	♏
Feb	♋	♐	♈	♍	♑	♉	♎	♒	♋	♏	♈	♌	♐
Mar	♌	♐	♉	♍	♒	♊	♎	♓	♋	♏	♈	♌	♑
Abr	♍	♒	♊	♏	♓	♋	♐	♈	♍	♑	♊	♎	♓
May	♏	♓	♌	♐	♈	♍	♑	♉	♎	♒	♋	♏	♈
Jun	♐	♉	♍	♑	♊	♎	♓	♋	♐	♈	♌	♑	♉
Jul	♑	♊	♎	♒	♋	♐	♈	♌	♑	♉	♎	♒	♋
Ago	♓	♌	♐	♈	♍	♑	♉	♎	♓	♋	♏	♓	♌
Set	♉	♍	♑	♊	♏	♓	♋	♏	♈	♌	♐	♉	♎
Oct	♊	♎	♒	♋	♐	♈	♌	♑	♉	♎	♒	♊	♏
Nov	♌	♐	♈	♍	♑	♉	♎	♒	♋	♏	♈	♌	♑
Dic	♍	♑	♉	♎	♒	♋	♏	♈	♌	♐	♉	♍	♒

SISTEMA SOLAR

LAS ESTRELLAS, SALVO EL SOL, NO TOMAN PARTE DE LA
CIENCIA DE LA ASTROLOGÍA. SÓLO LOS CUERPOS DEL
SISTEMA SOLAR, EXCLUYENDO LA TIERRA, PARA CALCULAR
CÓMO NUESTRAS VIDAS Y PERSONALIDADES CAMBIAN.

Plutón
Tarda 246 años en girar alrededor
del Sol. Afecta nuestros instintos
inconscientes y urgencias, nos da
fuerzas en las dificultades y, quizás,
enfatiza una inherente veta de
crueldad.

Neptuno
Permanece en cada signo durante
14 años. Nos hace sensibles e
imaginativos, pero también
estimula nuestro descuido y
dejadez.

Urano
Su influencia puede hacernos
amigables, excéntricos, ingeniosos
e impredecibles.

Saturno
En tiempos antiguos, era el planeta
más distante conocido. Su influencia
puede limitar nuestra ambición y
hacernos cautelosos (pero prácticos),
o confiables y disciplinados.

SATURNO

PLUTÓN

NEPTUNO

URANO

Júpiter
Estimula la expansión, el optimismo, la generosidad y la agudeza de visión. Puede también, hacernos derrochones, extravagantes y consentidos.

Marte
Muy asociado con energía, enojo, violencia, egoísmo, y una fuerte sexualidad, Marte estimula la decisión y el liderazgo.

JÚPITER

La Luna
Aunque es un satélite de la Tierra, es considerada en astrología como un planeta. Dista 240.000 millas de la Tierra y, astrológicamente, sigue al Sol en importancia.

MERCURIO

LA LUNA

VENUS

TIERRA

MARTE

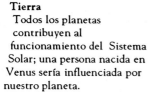

El Sol
Influencia el modo en que nos presentamos al mundo, nuestra imagen, el "yo" que mostramos a los demás.

Venus
El planeta del amor y la pareja, puede enfatizar nuestras mejores cualidades, o inclinarnos a ser lánguidos, imprácticos y muy dependientes de los demás.

Tierra
Todos los planetas contribuyen al funcionamiento del Sistema Solar; una persona nacida en Venus sería influenciada por nuestro planeta.

Mercurio
El planeta más cercano al sol, afecta nuestro intelecto. Puede hacernos inquisitivos, versátiles, perceptivos, pero también inconsistentes, cínicos y sarcásticos.